Wyspa Rekiniej Płetwy

Shark's Fin Island

Jane West

Przekład

Other Badger Polish-English Books

Rex Jones:

Pościg Śmierci	Chase of Death	*Jonny Zucker*
Futbolowy szał	Football Frenzy	*Jonny Zucker*

Full Flight:

Wielki Brat w szkole	Big Brother @School	*Jillian Powell*
Potworna planeta	Monster Planet	*David Orme*
Tajemnica w Meksyku	Mystery in Mexico	*Jane West*
Dziewczyna na skałce	Rock Chick	*Jillian Powell*

First Flight:

Wyspa Rekiniej Płetwy	Shark's Fin Island	*Jane West*
Podniebni cykliści	Sky Bikers	*Tony Norman*

Badger Publishing Limited
15 Wedgwood Gate, Pin Green Industrial Estate,
Stevenage, Hertfordshire SG1 4SU
Telephone: 01438 356907. Fax: 01438 747015
www.badger-publishing.co.uk
enquiries@badger-publishing.co.uk

Wyspa Rekiniej Płetwy *Polish-English* ISBN 978 1 84691 429 4

Publisher: David Jamieson
Editor: Paul Martin
Design: Fiona Grant
Illustration: Pete Smith
Translation: Kryspin Kochanowski

Wyspa Rekiniej Płetwy

Shark's Fin Island

Spis treści — Contents

1 Łódź dziadka

- Wieje dobry wiatr do żeglowania – powiedział dziadek. – Silny, ale nie za silny.

Matthew uśmiechnął się. Lubił żeglować z dziadkiem.

- Pomóż mi wciągnąć liny cumownicze – powiedział dziadek.

Liny cumownicze to grube liny, których używa się do wiązania łodzi. Były bardzo ciężkie.

1 Grandad's boat

"It's a good wind for sailing," said Granddad. "Strong, but not too strong."

Matthew smiled. He liked sailing with his granddad.

"Help me pull in the bowlines," said Granddad.

The bowlines were the big ropes that they used to tie up the boat. They were very heavy.

Dziadek odpalił silnik. Następnie włożyli kamizelki ratunkowe. Dziadek powoli wyprowadził łódź na morze.

- Czas na żagle – powiedział. Pociągnęli za liny i postawili żagle. Łódka śmigała po morzu.

Granddad started the boat's engine. Then they put on their life jackets. Slowly, Granddad took the boat out into the sea.

"Time for the sails," he said. So they pulled on some ropes. The sails went up and the little boat raced across the sea.

- Spójrz na to! – krzyknął dziadek.

Matthew spojrzał przed łódź. Zobaczył płetwy trzech rekinów.

- Nie obawiaj się – uspokoił go dziadek. – To są rekiny olbrzymie – nie jedzą ludzi!

Matthew był podekscytowany. Nigdy wcześniej nie widział rekinów z tak bliska.

Chciał przyjrzeć im się jeszcze lepiej, ale dziadek upomniał go, by nie wychylał się z łódki.

"Look at that!" said Granddad.

Matthew looked in front of the boat. He could see the fins of three sharks.

"Don't worry," said Granddad. "They are basking sharks – they don't eat people!"

Matthew was excited. He had never seen sharks so close before.

Matthew wanted to take a closer look at them, but Granddad told him not to lean out of the boat.

2 Sam na morzu

Nagle duża fala uderzyła w łódkę. Matthew upadł na kolana. – Aj! – krzyknął. – To bolało.

Rozejrzał się wokół. Dziadek leżał na pokładzie łodzi.

- Dziadku? Matthew zobaczył krew. Był przerażony. Na boku głowy dziadka widniało głębokie rozcięcie.

- Pomocy! – krzyknął Matthew. Lecz nie było nikogo, kto mógłby go usłyszeć.

Morze było puste. Był sam.

2 Alone at sea

Suddenly a big wave hit the boat. Matthew fell down on his knees. “Ouch!” he said. “That hurt.”

Matthew looked round. Granddad was lying on the deck of the boat.

“Granddad?” Then Matthew saw the blood. He was scared. Granddad had a deep cut on the side of his head.

“Help!” shouted Matthew. But there was no-one to hear him.

The sea was empty. He was alone.

„Muszę pomóc dziadkowi!”, powiedział. „Ale co mam robić?”.

Na pokładzie była krew. „Muszę zatamować krwawienie”.

Zszedł do kabiny. Było trudno, ponieważ fale były teraz większe.

Znalazł apteczkę pierwszej pomocy. Wyjął długi bandaż i owinął nim głowę dziadka.

Ręce mu drżały, ale to zdawało się działać. Krwi było mniej.

“I must help Granddad!” he said. “But what do I do?”

There was blood on the deck. “I must stop the blood,” said Matthew.

He climbed down into the cabin of the boat. It was hard because the waves were bigger now.

Matthew found the First Aid kit. He took a long bandage and tied it round his granddad’s head.

His hands shook. But it seemed to work – there wasn’t as much blood now.

- Obudź się, dziadku! – powiedział Matthew.

Lecz dziadek się nie ruszał.

ŁUP! Matthew przewrócił się i walnął o pokład. Łódź uderzyła w skałkę.

- Pomocy! – krzyknął. Lecz był zupełnie sam. „Połączę się ze strażą przybrzeżną”, powiedział. „Pomogą nam”.

Matthew zostawił dziadka na pokładzie. Nie chciał, lecz musiał to zrobić.

Trudno było wstać. Łódź przechylała się na jedną stronę. Wiatr był silniejszy a niebo bardzo ciemne.

"Wake up, Granddad!" said Matthew.

But Granddad didn't move.

CRASH! Matthew fell over and hit the deck hard. The boat had hit a small island of rock in the sea.

"Help!" cried Matthew. But he was all alone. "I'll radio the Coastguard," he said. "They will help us."

Matthew left his granddad on the deck. He did not want to leave him, but he had to.

It was hard to stand up. The boat was leaning to one side. The wind was stronger and the sky was very dark.

3 Wołając o pomoc

Matthew zszedł z powrotem do kabiny, by wezwać pomoc przez radio pokładowe. Przypominało ono radio samochodowe, lecz było większe i miało więcej przycisków.

„Który guzik nacisnąć?”.

Matthew wiedział, że musi znaleźć 16 kanał. To jak dzwonić pod 999. Był to kanał alarmowy.

- Halo! Halo! – powiedział. – Czy ktoś mnie słyszy?

Nic.

Wtedy Matthew zdał sobie sprawę, że jego stopy są mokre. Stał w wodzie! „O nie!”, krzyknął. „Łódź tonie!”.

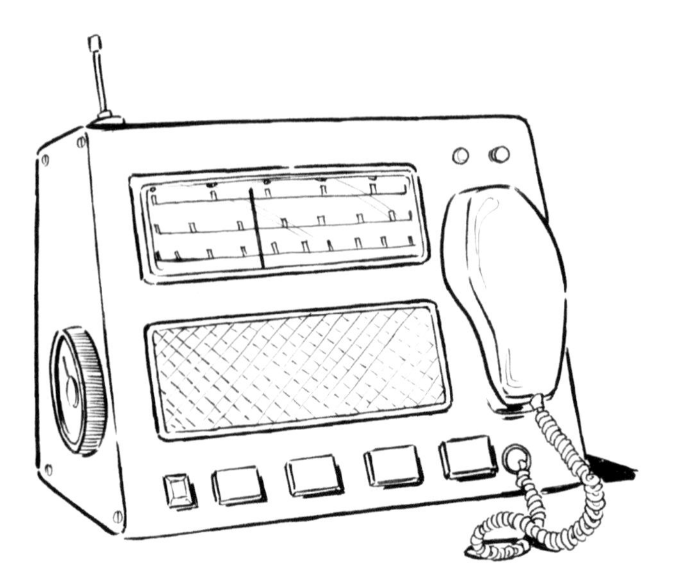

3 Calling for help

Matthew went back into the cabin to radio for help. The boat radio looked like a car radio, but it was bigger, with more buttons.

"Which button do I press?"

Matthew knew that he had to find Channel 16 on the radio. That was like calling 999. It was the emergency channel.

"Hello! Hello!" he said. "Can anyone hear me?"

Nothing.

Then Matthew realised that his feet were wet. He was standing in water! "Oh no!" cried Matthew.

Matthew szybko przycisnął więcej guzików. Radio zaczęło brzęczeć.

- Halo? HALO! – krzyknął.

- Tutaj straż przybrzeżna – powiedział męski głos. – To jest kanał alarmowy. Czy wszystko w porządku?

- Nie! – odpowiedział Matthew. – Nasza łódź tonie a mój dziadek jest ranny. Nie chce się obudzić.

- W porządku – odpowiedział mężczyzna miłym głosem. – Jak ci na imię?

- Matthew, Matthew Hocking.

- W porządku. Czy możesz powiedzieć mi, jak nazywa sie twoja łódź?

- To łódź mojego dziadka.
Nazywa się Syrena.

Quickly, Matthew pressed more buttons. Then the radio started to buzz.

"Hello? HELLO!" shouted Matthew.

"Coastguard here," said a man's voice. "This is the emergency channel. Are you all right?"

"No!" said Matthew. "Our boat is sinking and my granddad is hurt. He won't wake up."

"Okay," said the man in a kind voice. "What's your name?"

"Matthew, Matthew Hocking."

"Okay. Can you tell me the name of your boat?"

"It's my granddad's boat. She's called the Mermaid."

- Dobra robota! – powiedział mężczyzna. – Czy wiesz, gdzie jesteście?

- Nie! Nie wiem – krzyknął Matthew. – Wyruszyliśmy z Przylądka Kornwalijskiego. Dziadek powiedział, że kierowaliśmy się na zachód a następnie na południe. Nie wiem, gdzie jesteśmy teraz. Uderzyliśmy w jakieś skały…

Matthew zastanowił się. – Wyglądają jak płetwa rekina.

"Well done," said the man. "Do you know where you are?"

"No! No, I don't," cried Matthew. "But we left from Cape Cornwall. Granddad said we were going west, then south. I don't know where we are now. We hit some rocks..."

Matthew thought hard. "The rocks look like the fin of a shark."

4 Wyspa Rekiniej Płetwy

- Wiem, gdzie jesteście! Jesteście przy Wyspie Rekiniej Płetwy! – powiedział mężczyzna. – Trzymajcie się! Wkrótce tam będziemy.

Łódź szybko tonęła. Kabina była już wypełniona wodą. Matthew wrócił na pokład i objął dziadka rękoma.

- Proszę, dziadku, obudź się – powiedział.

Łódź groźnie przechylała się w jedną stronę. Dziadek Matthew nadal był nieprzytomny i zaczął ześlizgiwać się z łodzi.

Matthew nie mógł go utrzymać!

4 Shark's Fin Island

"I know where you are! You are at Shark's Fin Island!" said the man. "Hold on! We're coming to get you."

The boat was sinking fast. The cabin was full of water. Matthew went back onto the deck and put his arms around his granddad.

"Please wake up, Granddad," he said.

The boat was leaning badly to one side. Matthew's granddad was still asleep, and he started to slip off the boat.

Matthew couldn't hold on!

Matthew pociągnął za sznurek na kamizelce ratunkowej dziadka i swojej. Napełniły się powietrzem.

Łodź zatonęła szybko i Matthew znalazł się w wodzie. Była lodowata. Nie widział dziadka.

Starał się nie zasnąć, ale było mu zimno. Tak bardzo zimno. Jego oczy zaczęły się zamykać.

Matthew pulled the cord on his granddad's life jacket and on his own jacket too. The life jackets filled with air.

The boat sank quickly and Matthew was in the sea. It was icy cold. He could not see his granddad.

Matthew tried to stay awake, but he was cold. So cold. His eyes began to close.

4 Ratunek

Wtedy Matthew poczuł nad głową pęd powietrza i usłyszał męski głos.

Dwoje silnych ramion wyciągnęło go z wody i wciągnęło do helikoptera.

- Mój dziadek! – krzyknął Matthew. – Proszę, pomóżcie mojemu dziadkowi!

- O nic się nie martw – odpowiedział mężczyzna. – Pomogę tobie, a potem pomogę twojemu dziadkowi. Nazywam się Chris.

4 Rescue

Then Matthew felt a rush of air above him. He heard a man's voice.

Two strong arms pulled him from the water and into a helicopter.

"My granddad!"
cried Matthew.
"Please help my
granddad!"

"Don't worry," said the man.
"I'm going to help you and
then I'm going to help
your granddad.
My name is Chris."

Matthew trząsł się z zimna i strachu.

Wydawało się, że trwa to wieki, ale wkrótce jego dziadek również znalazł się w helikopterze. Jego usta były sine, lecz uśmiechał się do Matthew.

- Nie martw się – zwrócił się do niego Chris. – Wszystko będzie dobrze z twoim dziadkiem.

Matthew był tak zziębnięty, że ledwo mówił. „Z dziadkiem wszystko dobrze”, powiedział. „Z dziadkiem wszystko dobrze”. Miał mdłości i czuł się zmęczony.

Matthew shook with cold and fear.

It seemed like ages, but soon his granddad was in the helicopter too. His lips were blue but he smiled at Matthew.

“Don’t worry,” said Chris. “Your granddad will be okay now.”

Matthew was so cold he could hardly speak. “Granddad’s okay,” he said. “Granddad’s okay.” He felt sick and tired.

W helikopterze było głośno, więc Matthew ucieszył się, kiedy dotarli wreszcie do szpitala.

Lekarz i pielęgniarka wybiegli im na spotkanie.

- Zajmij się tym młodzieńcem – zwrócił się Chris do doktora. – Jest prawdziwym bohaterem. Wezwał pomoc przez radio i nie spanikował, gdy jego łódź tonęła. Uratował życie swojemu dziadkowi. Nieźle, jak na jedenastolatka.

- Mam dwanaście lat! – odparł Matthew, trzęsąc się z zimna. – W przyszłym tygodniu!

The helicopter was noisy and Matthew was glad when they got to the hospital.

A doctor and a nurse ran out to meet them.

"Look after this young man," said Chris to the doctor. "He's a real hero. He radioed for help and he didn't panic when his boat sank. He saved his granddad's life. Not bad for an eleven year old."

"I'm twelve!" said Matthew, shaking with cold. "Next week!"